Fröhliche Weihnacht überall

zusammengestellt von
Michael Markus
Bilder von
Angelika Pechtl

FAVORIT
BUCH

FAVORIT-VERLAG · RASTATT

Leise rieselt der Schnee

Leise rieselt der Schnee, still und starr ruht der See;
weihnachtlich glänzet der Wald: Freue dich, Christkind kommt bald!

In dem Herzen ist's warm,
still schweigt Kummer und Harm,
Sorge des Lebens verhallt:
Freue dich, Christkind kommt bald!

Bald ist heilige Nacht,
Chor der Engel erwacht,
hört nur, wie lieblich es schallt:
Freue dich, Christkind kommt bald!

A. Pechtl

Kling, Glöckchen, kling

Kling, Glöckchen, klingelin-ge-ling, kling, Glöckchen, kling!
Laßt mich ein, ihr Kin-der, ist so kalt der Win-ter,
öff-net mir die Tü-ren, laßt mich nicht er-frie-ren!
Kling, Glöckchen, klingelin-ge-ling, kling, Glöckchen, kling!

Kling, Glöckchen, klingelingeling,
Kling, Glöckchen, kling!
Mädchen, hört, und Bübchen,
macht mir auf das Stübchen,
bring euch viele Gaben,
sollt euch dran erlaben!
Kling, Glöckchen, klingelingeling,
kling, Glöckchen, kling!

A. Pechtl

Alle Jahre wieder

Al - le Jahre wie - der kommt das - Christus - kind
Kehrt mit seinem Se - gen ein in - je - des Haus,
Steht auch mir zur Sei - te still und - un - er - kannt,
auf die Er - de nie - der - , wo wir - Menschen sind.
geht auf al - len We - gen - mit uns - ein und aus.
daß es treu mich lei - te - an der - lie - ben Hand.

A. Pechtl

O Tannenbaum

1. O Tan-nenbaum, o Tan-nenbaum, wie treu sind dei-ne Blät-ter! Du
2. O Tan-nenbaum, o Tan-nenbaum, du kannst mir sehr ge-fal-len! Wie
3. O Tan-nenbaum, o Tan-nenbaum, dein Kleid will mich was leh-ren: Die
1. grünst nicht nur zur Som-merszeit, nein auch im Win - ter, wenn es schneit. O
2. oft hat nicht zur Weihnachtszeit ein Baum von dir mich hoch-er-freut! O
3. Hoffnung und Be-ständig-keit gibt Trost und Kraft zu je - der Zeit. O
1. Tan-nenbaum, o Tan - nenbaum, wie treu sind dei-ne Blät-ter!
2. Tan-nenbaum, o Tan - nenbaum, du kannst mir sehr ge- fal - len!
3. Tan-nenbaum, o Tan - nenbaum, das will dein Kleid mich leh - ren.

A. Pechtl

Stille Nacht, heilige Nacht

Stil – le Nacht, hei- li- ge Nacht! Alles schläft, einsam wacht, nur das traute hoch-hei- li- ge Paar.
Holder Knabe im locki- gen Haar, schlaf in himmlischer Ruh – schlaf in himmlischer Ruh!

Stille Nacht, heilige Nacht. Hirten erst kundgemacht
durch der Engel Halleluja tönt es laut von fern und nah:
Christ, der Retter, ist da! Christ, der Retter ist da!

Stille Nacht, heilige Nacht! Gottes Sohn, o wie lacht
Lieb aus deinem göttlichen Mund, da uns schlägt die rettende Stund,
Christ, in deiner Geburt! Christ, in deiner Geburt!

A.Pechtl

Ihr Kinderlein kommet

Jhr Kin-derlein kommet, o kommet doch all! Zur Krippe her
kommet in Beth-lehems Stall und seht, was in die-ser hoch-
hei-ligen Nacht der Va-ter im Himmel für Freude uns macht.

O seht in der Krippe im nächtlichen Stall,
seht hier bei des Lichtleins hellglänzendem Strahl
in reinlichen Windeln das himmlische Kind,
viel schöner und holder, als Engel es sind.

Da liegt es, das Kindlein auf Heu und auf Stroh;
Maria und Josef betrachten es froh;
die redlichen Hirten knien betend davor,
hoch oben schwebt jubelnd der Engelein Chor.

O beugt wie die Hirten anbetend die Knie,
erhebet die Hände und danket wie sie;
stimmt freudig, ihr Kinder, wer wollt sich nicht freun?,
stimmt freudig zum Jubel der Engel mit ein!

A. Pechtl

Vom Himmel hoch da komm ich her

Vom Himmel hoch da komm ich her ich bring euch gu - te neue Mär; der
guten Mär bring ich so viel, da - von ich sing'n und sa - gen will.

Euch ist ein Kindlein heut gebor'n, von einer Jungfrau auserkor'n,
ein Kindelein so zart und fein, das soll euer Freud und Wonne sein!

Es ist der Herr Christ, unser Gott, der will euch führen aus aller Not,
er will euer Heiland selber sein, von allen Sünden machen rein.

Er bringt euch alle Seligkeit, die Gott der Vater hat bereit't,
daß ihr mit uns im Himmelreich sollt leben nun und ewiglich.

So merket nun das Zeichen recht: die Krippe, Windelein so schlecht;
da findet ihr das Kind gelegt, das alle Welt erhält und trägt.

A. Pechtl

Morgen kommt der Weihnachtsmann

1. Morgen kommt der Weihnachtsmann, kommt mit seinen Ga - ben, Bunte Lichter, Silber -zier,
2. Doch du weißt ja unsern Wunsch, kennst ja unsre Her-zen. Kinder, Va-ter und Mama,

1. Kind mit Krippe, Schaf und Stier, Zottel- bär und Panthertier möcht' ich gerne ha - ben.
2. auch sogar der Großpa-pa, al - le, al - le sind wir da, warten dein mit Schmerzen.

A. Pechtl

O du fröhliche

O du fröhli-che, O du se-li-ge, gnaden-
bringende Weihnachtszeit! Welt — ging ver- lo — ren,
Christ ist ge-bo- ren, freu-e , freue dich,o Christenheit!

O du fröhliche, o du selige,
gnadenbringende Weihnachtszeit!
Christ ist erschienen, uns zu versühnen:
Freue, freue dich, o Christenheit!

O du fröhliche, o du selige,
gnadenbringende Weihnachszeit!
Himmlische Heere jauchzen dir Ehre:
Freue, freue dich, o Christenheit!

Pechtl

A. Pechtl